C000110703

# Macron par Macron

éditions de l'aube

# Avant-propos

> « Chacun voit ce que vous
> paraissez, peu comprennent ce
> que vous êtes. »
> MACHIAVEL, *Le Prince.*

E mmanuel Macron n'en finit pas de capter l'attention. Quasi inconnu il y a trois ans, il joue les premiers rôles dans la campagne présidentielle de 2017. Mais que pense vraiment cette figure atypique de la vie publique, à la fois énarque pétri de philosophie, ancien banquier d'affaires et chantre de l'économie numérique, qui fut aussi secrétaire général adjoint de l'Élysée auprès de François Hollande avant de prendre les commandes de Bercy ? Depuis 2015, nous l'avons interrogé à plusieurs reprises sur les questions qui travaillent notre société en profondeur, sur sa formation intellectuelle, sa vision du politique et ses goûts littéraires. Dans ce recueil figurent deux grands entretiens parus dans *Le 1* et un troisième, inédit, publiés ici dans leur intégralité, un hommage à Michel Rocard et un autre à son mentor Henry Hermand, tous deux disparus en 2016. Trois regards croisés sur Emmanuel Macron et ce qu'on pourrait appeler le « macronisme » complètent ce recueil : le portrait tout en malice qui cache une profondeur de vue, signé par l'écrivain et académicien français Marc Lambron ; le jugement sans complaisance de la journaliste et essayiste Natacha Polony ; l'analyse par le politiste Vincent Martigny de la société de mobilité, à rebours des statuts et des droits acquis, que prône Emmanuel Macron.

Dans un univers politique convenu, et lourd de déconvenues, il serait réducteur de vouloir expliquer la percée d'Emmanuel Macron dans l'opinion par le seul besoin de renouveau. Ou par la séduction que la jeunesse et l'audace peuvent exercer auprès d'une partie de l'électorat. Autre chose se joue, qui résonne au tréfonds de notre vie publique. La sensation que la démocratie est malade et bloquée. Pire, qu'elle s'est enlisée, confisquée par des professionnels de la profession. En brisant les codes du jeu politique, le « non-redoublant » Macron montre qu'il peut plaire à gauche et à droite. Raison de plus pour cerner au plus près une pensée qui s'est forgée d'abord lentement, par la lecture et l'étude, avant de s'éprouver au contact de l'action. De l'absence du roi dans nos institutions à la critique du vide idéologique des partis, en passant par le rejet du corporatisme de classe et de l'immobilisme français, celui qui apparaît désormais comme un possible futur président – qui l'aurait dit il y a encore six mois ? – se livre ici à mots découverts.

L'hebdomadaire *Le 1* n'a pas vocation à soutenir un candidat, quel qu'il soit. Nous sommes des journalistes. Le sens critique, pour ne pas dire le scepticisme, nous est une deuxième nature, une hygiène mentale. Il est en revanche de notre ressort de tenter de comprendre ce qu'on peut appeler le « phénomène Macron ». Notre devoir de curiosité l'exige. Qu'il remporte ou non l'élection cardinale de nos institutions depuis qu'en 1962, le général de Gaulle obtint par référendum la désignation de chef de l'État au suffrage universel direct, Emmanuel Macron aura incarné un changement dans la course jusqu'ici bien réglée des aiguilles électorales. Par le passé, en effet, il fallait du temps, des années, parfois même des décennies, pour « faire » un prétendant à l'Élysée. Ce Graal de la Cinquième ne s'offrait qu'à des conquérants tombés très tôt dans le chaudron de la politique et patiemment blanchis (quoique teints parfois...) sous le harnais de la République municipale ou régionale, en tout cas locale, avant de s'épanouir dans la députation ou, mieux encore, sous les ors d'un ministère, régalien de préférence. Combien de fois a-t-on soupiré devant les efforts vains d'un Raymond Barre ou d'un Édouard Balladur que l'onction du suffrage universel n'avait guère touchés, ou si peu, au moment de briguer les plus hautes fonctions ? Combien de fois a-t-on répété, l'élevant en règle intangible, qu'un président sortait forcément de la cuisse de Jupiter, à savoir d'un parti puissant incarnant la bipolarité de nos institutions ? Et que sans parti, point de salut. Un dessin de Plantu m'est resté en mémoire. On y voit Jacques Chirac aux commandes d'un avion pendant que son adversaire Balladur est en lévitation à ses côtés. Jacques Chirac, hilare et confiant, lui lance qu'on n'a jamais vu un candidat voler sans appareil. Plus dure sera la chute. Bien vu.

C'est dire que le surgissement d'Emmanuel Macron dans cette compétition étonne, et détone. Pas de parcours électif. Pas d'expérience de terrain. La jeunesse en guise de lettres de créance. Un mouvement, En Marche, siglé à ses propres initiales, pour pallier la non-appartenance voulue et revendiquée à une formation politique de poids, le parti socialiste par exemple. Un style qui hésite entre la rock star et le télévangélisme mâtiné de sérieux techno et parfois planant, comme d'évoquer les *Feuillets d'Hypnos* de René Char devant huit mille personnes en pâmoison à Lyon… « Les temps ont changé », chantait Bob Dylan. La valeur ne semble plus attendre le nombre des années. Le clivage gauche-droite prend un sacré coup dans l'aile puisque les mieux placés dans la course, au moment où sèche notre encre, sont deux candidats plus antisystème que les autres, à savoir Marine Le Pen et Emmanuel Macron. Avec ce constat troublant que pour des raisons diverses, les vainqueurs des primaires des grands partis courent le risque de ne pas figurer au second tour de la présidentielle. Benoît Hamon, à gauche, faute de rassembler son camp. François Fillon, à droite, pour avoir manqué à la probité qu'il érigeait en règle d'or, avec cette formule boomerang : « On n'imagine pas le général de Gaulle mis en examen. »

Dans ces conditions, savoir ce que pense Emmanuel Macron, ce qu'il veut pour la France, ne relève pas de l'anecdote. Le candidat *en marche* paraît incarner une génération spontanée de nouveaux dirigeants politiques au parcours singulier. Reste à savoir s'il pense différemment (à la manière du « *think different* » érigé en règle par le fondateur d'Apple, Steve Jobs) et si cette différence construit une ambition pour la France de 2017.

Éric Fottorino,
Directeur de l'hebdomadaire *Le 1*
et coordinateur du présent ouvrage

# I.

# J'ai rencontré Paul Ricœur
# qui m'a rééduqué
# sur le plan philosophique*

---

* *Le 1* du 8 juillet 2015, n° 64 : « Macron, un philosophe en politique ».

*On connaît votre intérêt pour la philosophie. Comment est venue cette appétence, depuis quand ? Ce sont des rencontres, des lectures ?*

Elle n'a pas de genèse identifiée. Je crois que j'ai aimé la chose publique avant d'aimer la philosophie. Ma première approche de la philosophie, ce sont des lectures. J'ai d'abord emprunté des chemins buissonniers – Marcel Conche [philosophe né en 1922] a fait partie de mes premières lectures ; j'ai reçu ensuite, en classes préparatoires, un enseignement très classique.

Je suis vraiment entré dans la philosophie par Kant, le premier philosophe qui m'ait marqué, avec Aristote. Ce n'est pas très original ! Je lui dois beaucoup

de mes moments d'émotion philosophique, ainsi qu'à son traducteur Alexis
Philonenko, qui avait fait un magnifique
commentaire de son œuvre. Je ne sais pas
si cela se lit toujours… J'ai passé beaucoup
de temps à lire Kant, Aristote, Descartes.
Ce refuge intellectuel, cette possibilité de
se représenter le monde, de lui donner un
sens à travers un prisme différent, ont été
importants. J'ai ensuite découvert Hegel,
sur lequel j'ai fait mon DEA.

*Avez-vous été marqué par un professeur ?*

Celui qui m'a beaucoup inspiré, c'est
Étienne Balibar. J'ai suivi ses cours, qui
étaient des exercices philosophiques
assez uniques. Véritable puits de science,
il dépliait un concept pendant deux heures.
Au cours suivant, pour reprendre le fil, il se
lançait généralement dans une introduc-
tion qui durait une heure et demie et qui
consistait à revisiter le cours d'avant. J'ai
suivi son enseignement pendant trois ou
quatre ans et rédigé sous sa direction un
travail sur Machiavel. C'est à ce moment

que j'ai abandonné la métaphysique pour la philosophie politique.

*Vous vous destiniez à une carrière...*

Pas du tout ! C'était par goût de comprendre les choses, cela me permettait de mettre en relation l'espace théorique philosophique et le réel. La philosophie politique permet en effet de mettre en tension le réel avec des concepts, de l'éclairer grâce à leur lumière.

*Le réel ?*

Quand on lit Aristote, on comprend que la philosophie repose d'abord sur un rapport au réel. Vous y trouvez une taxinomie, de la botanique... Chez Descartes, c'est pareil. Il y a toujours un rapport au réel qui est très fort, y compris chez les métaphysiciens. C'est Hegel qui disait que l'exercice philosophique indispensable, chaque matin, c'était la lecture du journal.

*La prière de l'homme moderne…*

Exactement! J'ai ensuite rencontré Paul Ricœur [1913-2005], qui m'a rééduqué sur le plan philosophique.

*Rééduqué?*

Oui! Parce que je suis reparti de zéro… La première fois que je l'ai vu, je ne l'avais encore jamais lu. J'avais la liberté des ignorants et donc je n'étais pas intimidé. Je lui ai parlé comme à un contemporain, alors qu'il souffrait justement du sentiment d'être traité comme une icône. Notre première rencontre a duré plusieurs heures et il m'a tendu à la fin un manuscrit de cinquante pages: la première conférence qu'il avait faite pour *La Mémoire, l'Histoire, l'Oubli*. Je lui ai rendu le texte avec des annotations. J'étais complètement incompétent, mais il a fait comme si de rien n'était: il m'a répondu. C'est comme cela que les choses se sont engagées. Avec lui, j'ai lu ou relu de la philosophie antique. Il avait sur ce sujet un recul exceptionnel, dû au fait de l'avoir étudiée et enseignée pendant un demi-siècle. J'allais tous les matins chez lui, aux Murs Blancs, et nous lisions ensemble. Il lisait tous les matins, où qu'il se trouve, même en voyage. L'après-midi était consacré à l'écriture.

*Avec le recul, comment définiriez-vous son apport ?*

Chez Ricœur, il y a trois apports conceptuels qui sont très forts. D'abord, une pensée de la représentation en politique, qu'il a analysée sous toutes ses formes. Ensuite, c'est l'un de ceux qui ont pensé de la manière la plus forte le sujet de la violence et du mal en politique. Il a marqué le courant de l'antitotalitarisme. On l'a trop oublié... Enfin, c'est l'un des philosophes d'Europe continentale qui a le plus pensé la philosophie délibérative. Il a réfléchi sur la possibilité de construire une action qui ne soit pas verticale (c'est-à-dire qui ne soit pas prise dans une relation de pouvoir), mais une action qui échappe dans le même temps aux allers-retours permanents de la délibération.

Cette réflexion d'ensemble est très ancrée dans sa culture protestante, car il était arrivé à la philosophie par l'herméneutique, par la lecture des textes religieux et philosophiques. C'est ce qui lui a donné son immense liberté. Il a montré qu'il n'est pas besoin d'être un expert pour réfléchir sur tel ou tel sujet : il suffit de savoir lire un texte. C'est sa méthode. C'est comme cela qu'il a écrit de manière lumineuse sur la psychanalyse, par exemple. C'est une des choses qu'il m'a le plus apportées. C'est aussi une culture politique.

*Comment cela, une culture politique ?*

Cela veut dire : tout élément versé dans le débat public est critiquable si on l'attaque au fond. Paul Ricœur a dressé une voie parallèle à celle que notre vie politique et philosophique a portée depuis trente ans. C'est l'autre voie de 1968. Derrière Mai 68, il y avait un mouvement de déconstruction par rapport à l'autorité. Lui a constamment revisité les choses en marge des structuralistes et des soixante-huitards, en se situant uniquement par rapport aux textes et dans une forme de recherche de la vérité en politique. En acceptant qu'il puisse y avoir une polyphonie ou une pluralité des interprétations.

*Faut-il pour autant faire le deuil de la vérité en politique ?*

Non, car la vérité est toujours une quête, un travail de recherche, et c'est fondamental. C'est ce qui permet à la politique délibérative d'échapper au nihilisme et à toute forme de cynisme. Cela revient à dire que la vérité unique, avec la violence qu'elle implique, n'est pas une voie de sortie. Mais il y a des recherches de vérité et, justement, une forme de délibération permanente que vient contrarier la prise de décision.

Toute la difficulté du politique aujourd'hui réside dans ce paradoxe entre la demande permanente de délibération, qui s'inscrit dans un temps long, et l'urgence de la décision. La seule façon de s'en sortir consiste à articuler une très grande transparence horizontale, nécessaire à la délibération, et à recourir à des rapports plus verticaux, nécessaires à la décision. Sinon, c'est soit l'autoritarisme, soit l'inaction politique.

*S'il n'y a pas une vérité unique en politique pour Ricœur, il y a pourtant un mal, un mal spécifiquement politique et constitutif de l'exercice du pouvoir.*

Ce mal est l'action humaine avec ce qu'elle a d'irréductible. Ricœur pense la dimension tragique de l'action politique, étant très marqué par le deuxième conflit mondial. Le mal, pour lui, est un objet politique, mais aussi moral et métaphysique. Il faut d'abord reconnaître ce mal, et c'est ce qu'il propose de faire avec le concept d'« impardonnable ». Toute la difficulté consiste ensuite à déterminer si celui-ci est unique, comme la Shoah, ou s'il peut prendre plusieurs visages.

Personnellement, je pense qu'il y a plusieurs impardonnables. Le défi, c'est d'arriver à reconstruire après l'émergence du mal. C'est tout le travail qui a été fait en Afrique du Sud, après la période de l'apartheid, avec la commission Vérité et Réconciliation [CVR] présidée par l'archevêque anglican Desmond Tutu. Ce fut un vrai travail politique : on nomme le mal et on pardonne. C'est le principe même de l'amnistie : à un moment, on décide d'« oublier ».

*Vous évoquiez tout à l'heure l'importance de laisser un espace à la vérité ou aux vérités et d'éviter le cynisme. Est-ce une boussole pour votre action ?*

Oui. Je crois à l'idéologie politique. L'idéologie, c'est une construction intellectuelle qui éclaire le réel en lui donnant un sens, et qui donne ainsi une direction à votre action. C'est un travail de formalisation du réel. L'animal politique a besoin de donner du sens à son action. Cette idéologie doit être prise dans une technique délibérative, se confronter sans cesse au réel, s'adapter, revisiter en permanence ses principes. Je pense que l'action politique ne peut pas se construire dans une vérité unique ni dans une espèce de relativisme absolu, qui est une tendance de l'époque. Or ce n'est pas vrai. Il y a des vérités, des contrevérités, il y a des choses que l'on peut remettre en cause. Toutes les idées ne se valent pas !

*Peut-il y avoir un conflit entre l'idéologie qu'on s'est forgée et celle de son parti, à laquelle il faut souscrire ?*

Il y aurait conflit, si les partis avaient une idéologie.

*Ils n'en ont pas ?*

Non. Les partis ne vivent plus sur une base idéologique. Ils vivent sur une base d'appartenance et sur la rémanence rétinienne de quelques idées. Qu'est-ce que signifie être… « Républicains » aujourd'hui – cela fait bizarre à dire, non ? Avoir une carte et payer sa cotisation, adhérer à des hommes aussi. Être en accord avec un corpus idéologique composé de beaucoup de malentendus, dans un moment où les idées ont été largement abandonnées par les partis politiques. Ce qui explique qu'ils mobilisent moins.

*Était-ce déjà le cas lorsque vous avez adhéré, à l'âge de 24 ans, au parti socialiste ?*

C'était déjà le cas. C'est le cas depuis plusieurs décennies. Ce qui est étrange aujourd'hui, c'est que l'espace de débat critique est mis de côté. Les intellectuels se sont repliés dans le champ universitaire et se sont spécialisés dans leur discipline. Les politiques, eux, se sont reconcentrés sur les valeurs, c'est-à-dire sur un rapport beaucoup plus émotionnel aux choses et plus suiviste de l'opinion.

*Le politique n'est plus pensé aujourd'hui ?*

On a énormément de mal à rehausser le politique au niveau de la pensée. Il est saisissant de voir que, dans le moment que nous vivons, on pense si peu l'État. Nous restons dans une approche très régalienne. Le réduire à cette dimension régalienne n'est pas suffisant. Il faut élargir la réflexion sur le rôle que doit avoir l'État dans le temps, dans ses territoires, dans la régulation sociale. Comment reconstruire notre imaginaire politique et notre régulation sociale à la lumière de ce que sont notre économie et notre société? Le travail reste à faire.

*Voyez-vous une incompatibilité entre la lecture, la réflexion et l'activité politique, qui suppose une certaine urgence de l'action? Faut-il inviter les philosophes au pouvoir?*

Pour ma part, je n'ai jamais cru à l'application pratique de la théorie du philosophe-roi. Mais je pense qu'il doit exister plus d'échanges, de passages, de traductions entre la philosophie et la politique. L'idéologie, c'est exactement cela: un travail de traduction, né de la nécessité de transmettre et de faire circuler d'un espace à l'autre. Il faut donc des concepts de passage. Ce n'est jamais parfait. C'est comme la lecture de la traduction française d'un texte anglais : ce n'est pas exactement l'original mais un travail intellectuel a été accompli, qui permet de comprendre et fait toucher du doigt cet autre espace imaginaire et esthétique. C'est la même chose en politique : si on laisse les philosophes dans leur espace et les politiques dans le leur, on manque cette interface de traduction qu'est l'idéologie. C'est le rôle des revues, des intellectuels que d'occuper cet interstice. Leur travail doit se propager. Mais la question est d'abord de savoir sur quel concept idéologique refonder l'action politique. Il faut franchir ces étapes, tracer des chemins de traverse. Des gens comme Jürgen Habermas [philosophe allemand né en 1929] ou Étienne Balibar jouent ce rôle !

*Précisément, quel temps réservez-vous à la lecture ?*

Je mentirais si je prétendais arriver à lire tous les jours. Mais ce qui me rassure, c'est qu'il ne se passe pas un jour sans que cela me manque. Le temps que je peux consacrer à la lecture varie selon l'actualité mais, comme l'écriture ou les échanges, il est indispensable. Sans ces espaces de respiration, l'épuisement vient très vite. L'action politique est en effet d'une nature autosuffisante, de l'ordre du divertissement pascalien : une fois que c'est fait, c'est fait. Mais c'est une fuite. Quant à la parole médiatique, c'est la nourriture donnée à un monstre qui n'arrête jamais. Il considère au début que cette parole est intéressante. Puis il en demande davantage. Il prend ce que vous lui donnez, jusqu'au moment où il vous rejette, considérant qu'il a tout entendu et que vous n'avez plus rien à livrer. C'est pourquoi l'action politique se construit aussi par des périodes de parenthèse, de retrait vis-à-vis de l'action. Elles sont importantes. C'est pourquoi je ne crois ni à la transparence complète ni à l'agitation absolue, qui constituent deux grandes faiblesses du moment politique actuel.

La politique et la pensée politique se construisent dans les plis, pour reprendre une formule de Gilles Deleuze [1925-1995]. Les plis de la vie sont les moments où il y a une forme d'opacité assumée. C'est une bonne chose parce qu'on se construit dans l'obscurité. On peut lire, réfléchir, penser à autre chose, être plus en recul, c'est une nécessité. De la même façon, dans la construction d'un intellectuel, il doit y avoir des moments de frottements avec le réel qui peuvent se faire par le compagnonnage politique. C'est ce qu'a fait Paul Ricœur en accompagnant Michel Rocard un moment. Il faut articuler la pensée et l'action.

*Comment y parvenir concrètement ?*

D'abord en lisant. J'essaie de me tenir au courant de ce qui est publié en philosophie politique. En essayant d'écrire aussi. Et puis en discutant, et c'est pourquoi je sollicite régulièrement des intellectuels qui pensent la chose publique, comme Olivier Mongin [directeur de la rédaction d'*Esprit* de 1988 à 2012]. Ils mettent des mots sur les décalages entre la légitimité démocratique et la capacité réelle, ressentie, à construire une action. Aujourd'hui, le processus démocratique est remis en cause.

*Comment le réinventer ?*

En proposant. Les gens protestent parce qu'il y a un vide. La démocratie s'incarne toujours de manière imparfaite, à des moments historiques, dans des formes plus ou moins violentes et antagonistes. La République française est une forme d'incarnation démocratique avec un contenu, une représentation symbolique et imaginaire qui crée une adhésion collective. Or on peut adhérer à la République. Mais personne n'adhère à la démocratie. Sauf ceux qui ne l'ont pas. La vraie difficulté aujourd'hui, c'est que le concept est vide et laisse place à des prurits identitaires toujours plus forts : les Bonnets Rouges en Bretagne, les zadistes à Notre-Dame-des-Landes ou ailleurs. Ce sont des mouvements d'identification.

*La démocratie est-elle forcément déceptive ?*

La démocratie comporte toujours une forme d'incomplétude, car elle ne se suffit pas à elle-même. Il y a dans le processus démocratique et dans son fonctionnement un absent. Dans la politique française, cet absent est la figure du Roi, dont je pense fondamentalement que le peuple français n'a pas voulu la mort. La Terreur a creusé un vide émotionnel, imaginaire, collectif : le Roi n'est plus là ! On a essayé ensuite de réinvestir ce vide, d'y placer d'autres figures : ce sont les moments napoléonien et gaulliste, notamment. Le reste du temps, la démocratie française ne remplit pas l'espace. On le voit bien avec l'interrogation permanente sur la figure présidentielle, qui vaut depuis le départ du général de Gaulle. Après lui, la normalisation de la figure présidentielle a réinstallé un siège vide au cœur de la vie politique. Pourtant, ce qu'on attend du président de la République, c'est qu'il occupe cette fonction. Tout s'est construit sur ce malentendu.

*Qu'est-ce qui manque à la démocratie, de nos jours ?*

Nous vivons un moment de tâtonnement démocratique. La forme démocratique est tellement pure et procédurale sur le plan théorique qu'elle a besoin d'incarnation momentanée : elle doit accepter des impuretés si elle veut trouver une forme concrète d'existence. C'est la grande difficulté. Nous avons une préférence pour les principes et la procédure démocratiques plutôt que pour le leadership. Et une préférence pour la procédure délibérative postmoderne plutôt que pour la confrontation des idées au réel. Or, si l'on veut stabiliser la vie politique et la sortir de la situation névrotique actuelle, il faut, tout en gardant l'équilibre délibératif, accepter un peu plus de verticalité. Pour cela, il faut proposer des idées. Si l'on est en capacité, grâce à des propositions, d'expliquer vers quelle société on veut aller, c'est-à-dire vers une République plus contractuelle et plus européenne, inscrite dans la mondialisation avec des formes de régulation qui correspondent à la fois à notre histoire et à nos souhaits collectifs, alors on peut mobiliser.

À l'inverse, si l'on ne propose rien et qu'on se contente de réagir au fil de l'eau, on se retrouve en situation de faiblesse. Si l'on installe l'idée que toutes les paroles se valent, et si l'action politique se construit uniquement dans les équilibres à trouver entre ces paroles, on tue alors la possibilité d'emmener nos concitoyens vers une destination identifiée. C'est l'immobilisme.

*La philosophie est-elle nécessaire à l'action ?*

Elle aide à construire. Elle donne du sens à ce qui n'est, sinon, qu'un magma d'actes et de prises de parole. C'est une discipline qui ne vaut rien sans la confrontation au réel. Et le réel ne vaut rien sans la capacité qu'elle offre de remonter au concept. Il faut donc accepter de vivre dans une zone intermédiaire faite d'impuretés, où vous n'êtes jamais un assez bon penseur pour le philosophe, et toujours perçu comme trop abstrait pour affronter

le réel. Il faut être dans cet entre-deux.
Je crois que c'est là l'espace du politique.

*Quelles leçons gardez-vous de Paul Ricœur
dans l'exercice de votre charge ?*

D'abord, toujours conserver de la
liberté par rapport à ce qui est dit, écrit ou
affirmé. Ricœur, c'est la discipline. Celle
de reprendre tous les matins son crayon, sa
page, et de se demander comment on peut
réinventer ce qu'on a écrit, le revisiter, le
redire autrement. Cette herméneutique
permanente m'apporte beaucoup. J'ai
également appris de Ricœur en creux, à
propos des événements de Mai 68, qu'il
avait vécus comme professeur à la faculté
de Nanterre. Il était très malheureux de
tout ce qu'il n'avait pas dit et des décisions qu'il n'avait pas prises durant cette
période. La leçon que j'en ai tirée est qu'il
y a un besoin de dire, d'affirmer les choses,
et qu'il faut céder à ce besoin. L'erreur de
beaucoup a été de se laisser intimider par
la brutalité du moment, d'accepter de ne
pas dire et de ne pas agir. C'est Ricœur qui

m'a poussé à faire de la politique, parce que lui-même n'en avait pas fait.

Il m'a fait comprendre que l'exigence du quotidien, qui va avec la politique, est d'accepter le geste imparfait. Qu'il faut dire pour avancer. C'est une forme d'affranchissement par rapport à la philosophie : on bascule dans le temps politique en acceptant l'imperfection du moment.

Propos recueillis par Éric Fottorino,
Laurent Greilsamer et Adèle Van Reeth

# II.
# Il est urgent de réconcilier les France*

* *Le 1* du 13 septembre 2016, n° 121 : « Que pense vraiment Macron ».

*À quelle condition serez-vous candidat à l'élection présidentielle ?*

Je ne vois pas de condition extérieure à ma candidature. Quand on croit à la révolution du système, on ne lui paie pas son tribut. C'est la lucidité. Je crois dans la transformation du pays et dans les idées de progrès. Je crois en la capacité à convaincre sur le discours d'explication et de péda-gogie. En notre capacité à faire advenir cette nouvelle offre politique dans toutes ses composantes. Car mon seul objectif est de refonder l'offre politique autour du progressisme, et donc d'un projet cohé-rent, clair et exigeant, et de tout faire pour que ce projet l'emporte et puisse refonder la France.

*À votre départ de Bercy, vous avez insisté sur les graves blocages de la société française. Quels sont-ils ?*

Les principaux blocages de notre société viennent des corporatismes, des corps intermédiaires et du système politique. Pour autant, je ne suis pas l'ennemi des corps intermédiaires. Ils sont nécessaires pour structurer la société. Les critiquer m'a valu l'accusation d'être populiste comme Marine Le Pen.

Si parler au peuple ou dire que les corps intermédiaires ne jouent plus leur rôle, c'est être populiste, alors je veux bien être populiste ! Les corps intermédiaires doivent être réinterrogés dans leur fonction. Ils ont un rôle à jouer dans la structuration de notre démocratie. De ce point de vue, les maires et les associations ont un rôle clé, car ils ont une légitimité d'action.

*Pouvez-vous préciser quels sont ces corporatismes que vous évoquez ?*

Ce sont des morceaux de la société qui se sont organisés pour défendre leurs intérêts. Nous sommes revenus avant la loi Le Chapelier [loi du 14 juin 1971 mettant fin aux dérives corporatistes de l'Ancien Régime]. Des professions ont créé des barrières à l'accès des plus jeunes. L'élite politique, administrative et économique a développé un corporatisme de classe. Comme l'avait vu Bourdieu, elle l'a ordonnancé par des concours, des modes d'accès, des connivences qu'elle a en son sein et qui empêchent l'accès aux plus hautes responsabilités. Notre société n'est pas la plus inégalitaire, mais elle est l'une des plus immobiles. L'absence de mobilité sociale nourrit la défiance, un sentiment que le corporatisme bloque tout, et crée du désespoir en bloquant les perspectives individuelles et en brisant le rêve d'émancipation qui est une respiration formidable dans la société.

*Vous n'épargnez ni les syndicats ni les partis...*

Certains syndicats sont en train de se réinventer en appréhendant les changements en cours et le nouveau rôle qu'ils doivent assumer. Mais, dans la plupart des cas, syndicats et partis défendent les intérêts de ceux qui sont dans le système. Par ces corporatismes, nous avons recréé de l'immobilité sociale, de la défiance démocratique et de l'inefficacité d'action. Un de nos défis est de passer d'une société de statuts à une société de la mobilité et de la reconnaissance, où chacun occupe une place différente – je suis contre l'égalitarisme, qui est une promesse intenable –, où chacun doit être reconnu pour son rôle singulier et sa valeur, qui n'est pas forcément monétaire.

Le cœur de la politique doit être l'accès. L'accès à la mobilité, notamment. La mobilité physique est loin d'être anecdotique. C'est de la politique. Avec les nouvelles lignes de cars, on est passé de 110 000 usagers à 4 millions par an. Cette réforme symbolique a cassé une des barrières entre les *insiders* et les *outsiders*. La banlieue, quand on n'a pas de voiture, c'est très loin de Paris. Passer le permis coûte cher, prend du temps. Quand l'accès à la voiture est impossible, cela signifie que l'est aussi l'accès au travail, aux loisirs, à une certaine vie sociale ou amoureuse. Il est décisif de désenclaver des pans entiers de notre territoire.

Je pense également à l'accès à la culture, au savoir par l'école. Notre système scolaire reste celui qui, parmi les pays développés, assigne le plus d'individus à leur condition sociale d'origine. L'accès au savoir est encore très injuste, comme l'est l'accès à la réussite professionnelle. Toutes les politiques d'accès, donc de libération, sont des politiques de justice sociale.

*Pour bousculer le système, que faut-il combattre ?*

Le fatalisme et la défiance. Le fatalisme, c'est penser qu'il n'existe pas d'alternative dans le système politique, seulement des alternances. Notre système politique, nous avons décidé qu'il était confisqué par des appareils qui décident pour nous, qui font le filtre, d'où mon scepticisme pour les primaires. Ce fatalisme est terrible, car il nourrit la désaffection vis-à-vis du politique, le scepticisme et l'entre-soi. Il conduit à faire des carrières longues, à avoir un rapport patrimonial à la vie politique. Et à accepter à certaines périodes, comme le fait à tort une partie de la gauche française, la défaite élégante pour préserver l'appareil politique, et ensuite revenir. C'est inacceptable pour qui aime son pays et les idées.

Quant à la défiance, le plus grand tabou est de ne pas nommer, de ne pas expliquer. Je l'ai vécu quand j'ai parlé d'« illettrisme », ou encore de l'argent et de l'enrichissement pendant la vie. Cette notion d'enrichissement est un tabou français, un traumatisme lié à notre histoire. Dans notre pays, on pense régler le mal en ne le nommant pas ou en le contournant sur le plan langagier. Je suis très camusien. Je pense qu'on ajoute à la misère du monde en nommant mal les choses. Il faut le soleil blanc de *L'Étranger* pour les éclairer, voire les révéler dans leur brutalité. Il faut dire nos échecs et nommer nos tabous.

Ce qui a disparu du champ politique, c'est l'explication. On est entré dans une société de l'action et de la réaction. On pense qu'il faut une réaction instrumentale pour réagir aux événements : un décret, une loi, une modification de la Constitution... La politique, c'est de l'agir, mais aussi du dire. Si on ne déplie pas les problèmes, l'action ne porte pas. Elle a un son mat, elle ne vibre pas dans le corps social, elle manque de portance. Le rôle du politique, c'est d'expliquer, de porter une idéologie au sens noble du terme, une vision commune du pays, des valeurs. Il y a un décalogue républicain à rebâtir, un socle de ces valeurs qui ne sont pas qu'une série de rites ou de petits actes. Je veux tenir cette discipline et je la tiendrai : quand je refuse le simplisme sur la question des 35 heures ou de l'ISF, quand je ne participe pas à un débat à mon sens réducteur, on nous reproche de ne pas faire de politique mais d'esquiver. Non ! Ces sujets sont-ils le cœur

du problème de notre pays ? Pas du tout !
Ils doivent s'inscrire dans une approche
plus large. Nous devons avoir une vision
cohérente et organique de nombre de ces
problèmes.

*Quel est alors, selon vous, le cœur du problème
français ?*

C'est le rapport au travail, à l'argent,
à l'innovation, à la mondialisation, à
l'Europe, aux inégalités. Ce sont les
nœuds gordiens du pays. Prenons le travail : le camp du progrès – la gauche – s'est
construit pour protéger l'individu au travail, surtout quand il était pénible. Mais
le chômage de masse nous fait vivre une
expérience inédite, où l'éloignement du
travail est une réduction de l'être social.
Le camp du progrès doit donc être celui
du travail, qui est la seule voie de l'émancipation. Il faut inventer les formes, les
souplesses pour que chacun puisse trouver
sa place dans le système. Il faut retrouver le sens de la valeur du travail et de
l'engagement.

Le rapport aux inégalités est aussi un tabou français. Face à un capitalisme industriel structuré, le camp du progrès s'est construit contre les inégalités en voulant rétablir, par la fiscalité et des mesures correctives, une plus grande égalité. Dans un monde ouvert, dans une économie d'innovation aux cycles courts, il est impossible de procéder ainsi. Sinon les talents partent. C'est une égalité des opportunités et des accès qu'il faut rétablir, qui permette à chacun de se battre dans cet environnement, de protéger les plus faibles et les perdants sans empêcher quiconque de réussir.

*En quoi notre rapport à l'innovation est-il problématique ?*

Nous sommes dans un pays qui défend trop la rente de situation au détriment de la rente d'innovation. Nous courons donc le risque d'être une nation de simples héritiers plus qu'un pays où coule la sève féconde des innovateurs. Cette attitude est potentiellement éliminatoire dans le monde d'aujourd'hui. L'inventivité de notre pays, son rapport à l'innovation et à la créativité doivent être convertis économiquement. Relever ce défi suppose de lever quelques tabous, notamment dans le rapport à l'argent. La capacité à accumuler de la rente d'innovation, à s'enrichir pour ceux qui apportent beaucoup, doit être acceptée. La rente de situation, elle, n'est pas acceptable.

*Quel élan faut-il insuffler à notre pays ?*

La France doit réussir dans la grande transformation du monde en cours, tout en restant fidèle à ce qu'elle est. Il faut retrouver le fil du roman français. Je crois au roman national. Je veux pouvoir expliquer dans les prochaines semaines ce que nous sommes, ce qu'est le pays, refonder notre armature économique, sociale et politique, réinvoquer un discours culturel et intellectuel que l'on a perdu. Je ne crois pas qu'il faille adapter la France au monde. Il faut transformer la France pour qu'elle soit plus forte dans un monde qui bouge, car sa vocation est universaliste. Ne pas suivre le cours du monde, mais être en mesure de le changer si nous sommes suffisamment forts. Le poids militaire et diplomatique qui est le nôtre n'existe pas sans réussite politique.

*À quoi tiendrait cette réussite ?*

Il est urgent de réconcilier les France : la France souffre d'avoir divisé son histoire et ses populations. Elle s'est séparée. Les gagnants et les perdants de la mondialisation représentent deux France qui s'écartent et ne se parlent plus. L'élite économique considère qu'elle a peu à dire à la France des périphéries, à ceux qui vivent dans l'anxiété. C'est une faute et une erreur, car notre histoire n'est pas dans la séparation. Je crois à la responsabilité morale des élites si on veut reconstruire le rêve français. Au lieu de cela, on voit aussi une France qui se replie dans le fait religieux et identitaire, et la France inquiète des classes moyennes françaises qui se replie dans l'insécurité culturelle.

*Pensez-vous qu'on assiste à une montée du fait religieux ?*

Le besoin d'absolu qu'ont les hommes traduit une crise de l'anthropologie politique moderne. Les individus en société ont un besoin de spiritualité, de transcendance. Il est normal que les religions prennent cette place. Pour autant, je ne crois pas à la religion républicaine. L'État et la sphère politique ne doivent pas chercher à se substituer au religieux.

Je pense néanmoins que le rôle de l'État est de mettre les religions à la bonne place. Non pas de les neutraliser ou de les appeler à la discrétion, ce qui est intolérable, car c'est l'État qui est laïc, non la société. Mais la puissance publique doit intervenir pour permettre trois choses. D'abord, elle doit garantir l'autonomie de tous les individus. Ceux qui croient comme ceux qui ne croient pas. Cette responsabilité implique que tous les Français souhaitant vivre pleinement leur spiritualité doivent pouvoir le faire librement. En conséquence, l'État doit s'assurer que, partout dans la société, les règles de la République prévalent sur celles de la religion. Ensuite, l'État doit garantir la bonne cohabitation des religions qui doivent pouvoir s'exprimer dans le respect l'une de l'autre. Enfin, l'État doit lutter contre les idéologies politiques qui se réclament de la religion et qui promeuvent une vision obscurantiste de la société. L'inquiétude est là. La République doit être intraitable quand des individus utilisent la religion en vue d'exercer une hégémonie politique et sociale sur d'autres, et de changer les règles de la vie en société qui sont celles de la France. Face à ces discours politiques qui se développent, la République doit opposer un autre discours politique. C'est sur ce terrain-là qu'il faut combattre prioritairement.

*On vous a peu entendu sur l'affaire du burkini...*

Le burkini n'est pas cultuel. C'est culturel, idéologique, politique. Il faut réussir à préserver les libertés individuelles, l'ordre public, mais surtout la juste place de la réponse de l'État. Si nous tombons dans le piège, le risque en retour est de séparer toute une communauté de Français qui existe dans le champ social et politique, qui a sa propre foi, et qui se sentira exclue de par sa foi en raison de notre réponse.

Il était justifié à certains endroits, pour des raisons d'ordre public, d'interdire le burkini. Il est indispensable de mener une bataille politique, idéologique, pour dire que ce vêtement est contraire à l'idée que nous nous faisons de la civilité et de l'égalité entre homme et femme. Il est en même temps indispensable de défendre la liberté individuelle si certains veulent s'habiller d'une certaine façon. C'est une formidable défaite de voir des policiers arriver sur une plage et demander à une femme, au nom de la laïcité, de ne plus porter un burkini. Le but de la laïcité, le projet républicain, c'est de rendre l'individu autonome dans la société et de rendre la société autonome au regard du religieux et du politique. À défendre la laïcité de manière revancharde, certains risquent de la séparer. Quand nous sommes faibles, quand nous acceptons que, pour des raisons religieuses ou politiques, certains ne respectent plus les règles de la République, nous affaiblissons la capacité de celle-ci à maintenir la société dans son ensemble.

*Comment redonner confiance aux Français en matière de sécurité?*

C'est un vrai défi qui n'est pas seulement sécuritaire mais aussi moral. Il relève du rapport entre la société et le politique. Au premier degré, la réponse concerne les moyens que Nicolas Sarkozy avait affaiblis quand il était en responsabilité. Il faut compter sur la présence militaire et policière, sur le traitement judiciaire de certaines affaires, la capacité à sanctionner rapidement. Il faut aussi restaurer deux éléments clés, la fonction de renseignement et celle de prévention. Puis veiller à un troisième bloc essentiel : notre capacité à former des individus dans chaque classe d'âge pour défendre notre collectivité, sans pour autant recréer le service militaire.

Au-delà des réponses en termes de moyens, il faut admettre que nous sommes dans une société du risque. Nous devons faire comprendre à nos concitoyens qu'une société du risque est une société de responsabilité. Il est impossible de promettre que le pire ne reviendra pas, sans pour autant inquiéter ni traumatiser. On doit être transparent sur les responsabilités de chacun. Savoir si on a bien fait les choses après un attentat, d'où l'utilité des commissions parlementaires. Agir avec calme et autorité. L'autorité ne se mesure pas à la magnitude du réflexe sécuritaire. Quand, le 9 décembre 1893, un attentat anarchiste a lieu au Parlement, les parlementaires sont en train de débattre sur le beurre. Juste après l'explosion, et alors que la fumée n'a pas fini de se dissiper, le président de l'Assemblée dit: « La séance continue. Reprenons le débat sur le beurre. » Chaque président de groupe dit: « Oui, reprenons ce débat sur le beurre, parlons du beurre. » La vraie autorité est de ne pas se laisser imposer l'ordre des choses par ceux qui nous assaillent. Ce qui est moral, c'est la capacité des gouvernants à ne pas se laisser dicter leurs décisions par la tyrannie des événements. C'est pour cela que je n'ai pas réagi dans l'immédiateté, ni au débat sur le burkini ni à l'attentat de Nice. Nous sommes tombés dans le gouvernement de l'anecdote ou du fait divers. Or nous devons rester maîtres de nos propres horloges, de nos propres principes, et ne pas en déroger. Si à chaque événement nous devons changer de politique, cela signifie que nous ne sommes pas sûrs de la politique que nous menons. L'autorité n'est pas le diktat impérieux ni les discours revanchards à la télévision. C'est l'intransigeance. Ce sont des décisions graves, et parfois d'une grande brutalité. C'est décider le moment et imprimer le sens de l'action que l'on conduit.

*Quel rôle attribuez-vous à l'État ?*

Je crois dans la place de l'État. Dans notre histoire, il tient la nation. Il ne faut jamais l'oublier. La nation française s'est construite dans et par l'État. Ce sont des choix de l'État qui ont fait nos frontières, imposé la langue, et tenu le pays. La France est un pays très politique. La nation n'est pas une création spontanée, ni l'agrégation de territoires. Elle n'est pas avant tout un fait social. C'est un fait politique qui passe par l'État. La société s'est ensuite émancipée. Un des grands apports de la Deuxième Gauche est d'avoir reconnu l'autonomie du social.

Je pense toutefois qu'il faut moins d'État dans la société et dans l'économie. À vouloir surréguler, l'État s'est affaibli et s'est transformé en étouffoir. On le voit pour ce qui relève de l'entrepreneuriat. On a longtemps considéré que l'État devait se substituer à la société pour agir et que la norme permettait de protéger le faible, selon la philosophie de Lacordaire. Ce n'est plus vrai dans un monde ouvert. Quand la norme surréglemente, elle entrave. Elle empêche la liberté d'entrer dans nombre de maisons, y compris celles des plus pauvres. Prenez l'exemple des cars. On avait rendu très compliqué leur usage pour protéger le rail. Les principales victimes étaient les plus démunis. Dans la vie économique, l'État norme trop. Je crois qu'il est légitime, dans certains secteurs, de réfléchir à moins d'État, car il est plus efficace et juste de laisser la société respirer, la créativité s'exprimer. Cette vision correspond davantage au type de société et d'économie dans lesquelles nous sommes entrés.

L'État garde un rôle fondamental, avec ses structures protégeant les individus. Je crois qu'il a un rôle encore plus grand à jouer pour apporter les sécurités universelles dans un monde qui change. Il doit aussi intervenir quand il s'agit du nucléaire, de l'approvisionnement énergétique ou de secteurs critiques de notre économie. L'État doit jouer son rôle, assumer les missions de souveraineté et assurer les biens communs indispensables. Nous devons considérer que si nous laissons filer, nous serons dépendants d'autres puissances politiques. Mais l'État est plus efficace s'il sait articuler sa souveraineté avec une vraie souveraineté européenne.

Il doit exister une protection à cet échelon. La capacité à transformer le rêve français en rêve européen est fondamentale. Mitterrand a su le faire. Il faut retrouver cette filiation. Nous devons penser la place de l'État à travers l'Europe. C'est un des axes de notre vitalité démocratique.

*Justement, qu'en est-il de l'Europe et de la mondialisation ?*

Le rapport à l'Europe est essentiel. Les souverainistes se sont construits contre elle. Or, où est la vraie souveraineté française ? Elle est parfois dans le pays. Mais aussi dans l'Europe. La souveraineté numérique, la souveraineté énergétique, la souveraineté face au fait migratoire ou militaire se gère à cette échelle. La France ne gagnera pas contre Google et Facebook ; l'Europe, si. Au moins, elle les régulera. Elle pourra être un acteur critique face à la Chine et aux États-Unis. Si on est l'Europe, on peut se battre face au *dumping* chinois dans l'acier, protéger nos populations et nos entreprises. On ne le peut pas si on n'est qu'un pays. Ce paradoxe qui consiste à opposer le souverainisme et l'Europe est aussi un traumatisme français.

*La question de la transition énergétique se pose à l'échelle mondiale. Quelles sont ses conséquences sur notre économie ?*

Nous vivons une grande révolution à vitesse accélérée. Là où l'énergie, au plan mondial, relevait de la souveraineté, de la verticalité, du fait national hyperconcentré, on assiste à une forte déconcentration. Les nouvelles technologies permettent à un individu de piloter sa consommation et de pratiquer la frugalité énergétique. Chacun va devenir maître de sa consommation. Cette capacité sera facteur à la fois de responsabilité et de compétitivité. La capacité à baisser la consommation par l'innovation, c'est la clé. À mes yeux, on réconcilie ainsi la fonction productive et la préoccupation environnementale. Les énergies renouvelables sont, quant à elles, des fonctions de production de l'énergie très décentralisées, car au plus près du terrain, qu'il s'agisse de l'hydraulique, du solaire ou de l'éolien.

Mais nous devons penser la phase de transition. Elle suppose d'encourager, de fertiliser, d'accélérer cette mise en capacité des individus à choisir leur modèle, tout en préservant les modes souverains de production pour ne pas tomber dans la dépendance. J'ai défendu ce modèle qui met les individus en capacité de produire leur énergie et de la maîtriser. J'ai aussi défendu les grands projets nucléaires du type Hinkley Point, dans le Somerset, car dans l'intervalle, c'est [devenu] un projet indispensable en Europe, sans lequel nous risquons d'accroître notre dépendance à l'égard du gaz russe, à l'égard du gaz de schiste américain, ou encore de technologies américaines et asiatiques, et d'être en conséquence affaiblis au plan industriel. Il ne faut pas être binaire. Je n'ai jamais opposé les énergies renouvelables au nucléaire. On doit penser la complémentarité pendant un temps de transition.

*Quelle doit être selon vous la place de la France dans le monde ?*

Nous sommes dans le monde. Par notre géographie. La France est un des seuls pays présents sur tous les continents. C'est aussi notre histoire coloniale et postcoloniale. Par la langue, la France est un pays-monde. C'est notre statut. Nous avons le monde dans le pays, car la France est une terre d'immigration. Une terre où l'universel s'est pensé, une terre de savoir. C'est très spécifique. Ce n'est le cas ni de la Chine ni des États-Unis. Quand des merveilles du monde sont abattues à Tombouctou, la France réagit. Il y a très peu d'Américains que ces événements touchent. Nous avons cette conscience du monde. C'est aussi l'identité française. Notre histoire est que nous avons le monde dans nos tripes. Nous sommes aussi la nation des droits de l'homme. Oui, nous avons vocation à nous mêler aux affaires de la planète.

Une autre raison pragmatique, à présent, est que le monde se déverse dans chacun de nos pays. On l'a vu avec les réfugiés ou le terrorisme. Tout est poreux, tout se déplace. L'extérieur s'importe dans nos débats politiques, dans notre vie. On ne peut s'en désintéresser. Bien sûr, on ne peut agir seuls. La question est : comment parvenir à retricoter un système multilatéral efficace, aujourd'hui essoufflé à cause du repli des États-Unis sur eux-mêmes, lié au gaz de schiste et aux grands choix géostratégiques de Barack Obama ? Les États-Unis deviennent une puissance de plus en plus tournée vers le Pacifique, de moins en moins vers l'Atlantique, de moins en moins dépendante du Moyen-Orient. Or cette région, avec l'Afrique, est au cœur des intérêts géopolitiques, économiques et commerciaux. Comment retrouver des alliés qui partagent nos valeurs, comme jusque-là les États-Unis ?

*L'Europe n'est-elle pas une partie de la solution ?*

Nous avons besoin d'une politique européenne plus coordonnée sur les plans humanitaire, de l'aide au développement et de l'intervention commune. Celle-ci reste très faible. Les choses peuvent changer, car l'Allemagne fait son *aggiornamento* depuis la crise des réfugiés. Son évolution progressive est importante. Ce que nous vivons avec la crise des réfugiés est la meilleure preuve que si nous n'avons pas une politique commune pour la protection des frontières, le développement et la politique humanitaire, nous en payons cash les conséquences. Si l'Europe avait été capable de formuler une réponse coordonnée quand on a identifié les problèmes des réfugiés syriens, les premiers camps en Turquie et au Liban, jamais nous n'aurions eu la première route des Balkans et les millions de réfugiés arrivant en Europe. C'est parce que nous n'avons pas su organiser une réponse humanitaire au Liban et en Turquie que nous avons rencontré ce problème. Avec l'Afrique, nous avons ce même défi: la France a un rôle très particulier et doit l'assumer. Je suis pour une vraie politique française de partenariat économique et culturel équilibré. Il faut aider l'Afrique et l'assumer, sans fausse pudeur postcoloniale.

*Vous semblez prêt à porter vous-même ce programme.*

La seule chose qui m'arrêterait serait de voir qu'à un moment donné, je deviens un danger ou un obstacle pour que les idées que je porte puissent accéder au pouvoir. Tant que ce n'est pas le cas, *sky is the limit*.

Propos recueillis
par Éric Fottorino

# III.

## L'engagé*

### Éloge de Michel Rocard

---

* *Le 1* du 6 juillet 2016, n° 114 : « Rocard par Rocard ».

Une page d'écriture dit souvent beaucoup d'un être. Michel Rocard avait une écriture claire, formée, un peu anguleuse, qui révélait sa rectitude morale, son ouverture à l'Autre, à l'ailleurs, et son exigence intellectuelle. Sa manière de noircir la page blanche était unique : chaque ligne était plus courte que la précédente, si bien qu'un triangle se dessinait progressivement. Je me suis souvent interrogé sur le sens de ces calligraphies et de ces mises en page. Au fond, elles démontraient que l'extrême régularité l'ennuyait et que Michel Rocard était, avant toute chose, un homme libre. Libre de penser et de faire, s'affranchissant d'un cadre convenu ou trop normé.

Michel Rocard, c'est une histoire d'engagements. De luttes. D'indignations. Une volonté de regarder la vie en face, le réel en face, non seulement pour les décrire, mais surtout pour les changer. N'accepter rien de ce qui était injuste ou convenu. La torture en Algérie, l'étouffement de la société française, la lourdeur de l'État, le réchauffement climatique, la fatigue de l'Europe, l'oubli de l'Afrique.

Ses causes ont été multiples, diverses, et il leur est toujours resté fidèle. Car il ne voulait pas seulement les dénoncer. Il ne voulait pas se servir d'elles. Il voulait les servir pour mieux changer le monde.

Pour moi, Michel Rocard est un exemple. De conviction, d'engagement, d'exigence intellectuelle et d'action.

La France a souvent été injuste avec Michel Rocard. Il a connu des traversées du désert, des déconvenues, des trahisons. Mais il n'a jamais abandonné ses combats, sa famille et ses amis. Ils sont nombreux, celles et ceux qui l'ont accompagné ou servi, et dont il était le point de ralliement, au 266 du boulevard Saint-Germain, et plus largement derrière lui, dans son sillage, dans le droit-fil de ce qu'il représentait. Il a peuplé la vie de beaucoup d'êtres en

les unissant autour de combats communs.
Il continuera de les peupler, aussi longtemps que vivront ses idées.

Avec Sylvie, ces dernières années,
il passait beaucoup de temps avec les nombreux animaux qui avaient fini par prendre
possession de leur maison. Je me souviens
d'un chat malingre, pour lequel il avait
une tendresse particulière. En Inde, il y
a quelques années, Michel avait failli
mourir. À l'hôpital, ce petit chat lui ren-
dait visite chaque jour à sa fenêtre. Alors,
il avait décidé de le ramener en France
avec lui. C'était aussi cette générosité fan-
taisiste, Rocard. Le petit chat continuait à
le suivre des yeux par la fenêtre de la maison d'Île-de-France.

Ce matin, il doit chercher, un peu
perdu, le regard dans le vide, la présence
bienveillante de cet aventurier enthou-
siaste qui lui avait fait traverser plusieurs
continents pour arriver là. Ce matin, nous
sommes beaucoup comme lui, un peu per-
dus, le regard dans le vide.

# IV.
## Pluriel et solaire*

Éloge d'Henry Hermand

* *Le 1* du 16 novembre 2016, n° 140 : « Henry Hermand, itinéraire d'un progressiste ».

La première fois que j'ai croisé Henry Hermand, c'était en 2002. J'étais encore élève à l'ENA et j'avais eu l'honneur de servir dans l'Oise, auprès du préfet d'alors, Michel Jau. Le hasard, aidé par des amis communs, nous permit de nous rencontrer. Depuis, nous ne nous sommes plus quittés. Une amitié filiale se noua. Il était là. J'étais là. À chaque étape importante. J'ai connu ses grandes années. À Paris, à Tanger, à Senlis et à Bréhat. Les doutes des moments de transition. L'affaiblissement, insupportable pour lui, qui le cloua sur sa chaise ces derniers mois. Mais durant tout ce temps, il ne changea pas. Il était un caractère. Une force qui va. Un décidé. Il y a dix jours encore, sur son lit d'hôpital, il ne se plaignait pas. Il pensait à la suite. À son organisation, comme il aimait à le dire. À ses choix.

Au cours du monde. Je l'ai toujours connu ainsi. Il avait le sens de l'amitié. Avec son épouse Béatrice, c'était en effet toujours les amis qu'ils convoquaient. Gilles Martinet, Michel Rocard, Erik Orsenna, Tahar Ben Jelloun, Henri Moulard, Jacky Lebrun et tant d'autres. C'est une galerie de rencontres généreuses. Le quotidien n'était qu'un prétexte à rassembler les amis. À mener ensemble des combats ou des aventures. Il fut pour moi un ami constant et attentionné. M'aidant alors que je commençais dans la vie. Témoin de notre mariage, avec Brigitte. Toujours présent pour un conseil. Personnage pluriel et solaire, il était tout à la fois entrepreneur, patron de presse, intellectuel et compagnon de route, membre de *think tanks*. Depuis les années Mendès France, ses contributions à la revue *Faire* et ses premiers discours en 1968, il n'avait jamais quitté la scène de l'engagement politique. Certes, il vibrait pour la musique, de la Fondation Cziffra à Senlis – qu'il aida en mémoire de ce pianiste virtuose dont il était un ami proche – jusqu'aux opéras de

Paris ou de Venise. Mais, plus que tout, sa passion était la politique. La politique, non. En fait, plutôt la transformation, l'action, les idées, la vie publique. Celle à laquelle il contribuait activement encore avec Terra Nova et *Le 1*. Drôle de vie que celle de cet homme superbe qui, au fond, n'aima pas sa vie. Il aurait voulu, je crois, en avoir mille autres. Il aurait voulu changer le monde. Il est parti sans avoir compris qu'il y contribua et qu'il y contribuera encore.

Pendant un demi-siècle, il fut l'indéfectible compagnon de route de Michel Rocard. Il fut entre nous le passeur. Il l'aida, le conseilla. Toujours lui dit la vérité. Le protégea. L'aima.

Il aimait chez Michel ce goût immodéré de la liberté et cette connaissance encyclopédique du monde. Il en fallait, de la générosité, pour, si longtemps et sans jamais se décourager, œuvrer dans l'ombre ! Il fit de même avec Gilles Martinet, autre compagnon de combat. Jusqu'aux dernières heures. Certains diront qu'Henry fut pour moi un pygmalion. Il était bien trop libre pour prétendre à ce rôle, et moi trop indépendant pour l'admettre. Notre relation fut d'amitié, non d'inféodation. Nos désaccords parfois furent vifs, et nos échanges animés. Mais nous nous rejoignions sur l'essentiel. Aussi, lorsque je créai En Marche, il se passionna pour le mouvement. Il conseillait les plus jeunes militants, les recevait. Avec la même bienveillance qu'il avait eue pour moi, et exerçant la même attraction.

Ses vraies passions, en somme, c'étaient la France et le progressisme. Il avait connu les heures sombres de notre pays, traversé ses crises, lutté contre les totalitarismes. « Tu continues mon combat pour le progressisme », aimait-il à me dire. Il n'y eut pas une semaine, ces derniers mois, où il ne me poussât à monter à l'assaut. C'est cet exemple qui me restera et qui, pour une grande part, m'anime. Par-delà même un attachement personnel dont je porte le deuil, je sais aujourd'hui, sous la lumière obscure de la mort, ce qu'au fond je lui dois : une certaine joie d'être français et de croire irrésistiblement à l'idée du progrès.

# V.
# Je n'envisage pas ma vie
# sans les livres*

* Entretien inédit avec Emmanuel Macron, du 3 février 2017.

*Quelle est votre relation aux livres ?*

C'est une relation passionnelle et fusionnelle depuis l'enfance. Je n'envisage pas ma vie sans les livres. Ma grand-mère en particulier a très tôt installé dans ma vie la compagnie des livres. Il n'est pas pour moi aujourd'hui de jour sans livre. Mon entourage me reproche même parfois de ne savoir rien offrir d'autre que des livres !

*Quelle place occupe la littérature dans votre vie ?*

Une place centrale. Car la littérature n'est pas séparée de la vie. Elle n'est pas réservée à quelques moments de loisirs qu'elle meublerait confortablement. La littérature éclaire chacune des situations que nous rencontrons. Elle nomme notre expérience. Elle donne de la substance à nos existences. Mais les livres, bien sûr, ne sont pas seulement des guides de vie. Ils nous mènent sur des chemins qu'on ne connaissait pas. Ils ouvrent des horizons que nous ne soupçonnions pas. La littérature nous rend disponibles à l'émotion du monde.

*Avez-vous un goût particulier pour les classiques ? Lesquels ? Que vous apportent-ils ?*

Les classiques français comptent beaucoup. J'aime la langue classique et en particulier l'alexandrin, qui devient au XVII<sup>e</sup> siècle comme la respiration intime de notre langue. Le vocabulaire des classiques est économe, mais son rythme est d'une subtilité infinie. On atteint alors à une perfection absolue, dont l'exemple même est, pour moi, *Bérénice*, de Racine.

*Qu'attendez-vous d'un roman ? Qu'apportent les écrivains aujourd'hui ?*

Le roman m'intéresse lorsqu'il possède une dimension picaresque. Lorsqu'il prend en charge la richesse du monde, la variété des émotions, la bigarrure des caractères. Les grands romans sont à la fois comiques, épiques, tragiques – inclassables. Beaucoup d'écrivains d'aujourd'hui répondent à cette attente parce qu'ils sont des consciences ouvertes vers le monde, des esprits amis de la complexité – que l'on pense par exemple à Carlos Fuentes.

*Quels sont les derniers livres qui vous ont marqué ?*

Dernièrement, *Le Cahier noir*, de Mauriac, et *L'Affaire Vargas*, de Pessoa.

*Un auteur et un roman ont-ils marqué votre adolescence, votre jeunesse ?*

Oui, indiscutablement Céline et *Voyage au bout de la nuit* : cette lecture, à l'adolescence, fut un choc esthétique et émotionnel très fort. Bardamu ne m'a plus quitté.

*Quels personnages de fiction vous inspirent ?*
*Masculin, féminin. Pourquoi ?*

J'avoue un faible pour ces héros romantiques que la vie expose à l'inconnu, au danger, aux grands espaces. C'est pourquoi j'aime beaucoup Fabrice del Dongo, qui se jette sur les routes avec une crâne inconscience. J'aime aussi le René de Chateaubriand.

*Pouvez-vous décrire votre bibliothèque, les livres qu'on y trouve ? Les livres qui ne vous quittent jamais, qui vous suivent depuis toujours, et pourquoi ceux-là ?*

Ma bibliothèque est dans ma maison du Touquet. Elle répond à un désordre organisé que je suis seul autorisé à modifier. À gauche, on y trouve les livres de ma grand-mère, que j'ai gardés ensemble, sans les remettre dans le lot commun. La lecture et la relecture les ont fatigués, épuisés même, et j'ai pour eux une tendresse particulière. Le reste de la bibliothèque se partage entre essais, livres politiques, livres d'art. Elle comporte aussi une partie commune avec mon épouse, celle des romans. Enfin, une étagère est dédiée aux livres que je lis à mes petits-enfants. Le livre qui ne me quitte jamais, c'est *Les Fleurs du Mal*. Un bréviaire du monde et de l'âme.

*Pouvez-vous citer des romans que vous aimez relire ? Pourquoi ?*

« Je ne lis rien, je relis », disait Royer-Collard vieillissant à Alfred de Vigny. Je n'en suis pas encore là, mais en effet j'aime relire : la relecture est souvent plus nourricière encore que la lecture. Je relis *L'Étranger* de Camus, à l'inépuisable brièveté. Je relis les *Feuillets d'Hypnos*. Je relis sans cesse *Le Rouge et le Noir*.

*François Mitterrand aimait lire et écrire. Même chef de l'État, il trouvait le temps de lire. Ni Sarkozy ni Hollande ne sont des lecteurs de romans. Est-ce important pour vous de trouver ce temps pour lire ?*

Que le temps soit bref ou long, il reste toujours assez de temps pour lire. Et il faut toujours trouver du temps pour lire. Pas un jour ne passe sans que je lise. Ce n'est pas un délassement, c'est un pain quotidien.

*Vous avez écrit un roman dans votre jeunesse. Pouvez-vous dire quel est son thème ? Avez-vous été tenté par une aventure littéraire ?*

J'ai écrit en effet un roman épique : *Babylone, Babylone.* J'y racontais de manière un peu décalée l'aventure de Hernán Cortés. Il n'a eu qu'une seule lectrice, mon épouse, et n'en aura pas d'autres. La vocation littéraire est évidemment une tentation permanente, mais c'est une vocation dévorante, plus encore sans doute que la politique. Je l'ai mise en sommeil. La vie me dira si elle reprendra à l'avenir le dessus.

*Avec quel écrivain aimeriez-vous échanger sur le monde d'aujourd'hui et de demain ?*

J'aime la sagesse brève de Pascal Quignard, dont le regard porte loin dans le passé et nous instruit sur notre présent, trop souvent vécu à la surface. J'aurais aimé échanger avec Michel Tournier, dont les livres m'ont tant marqué.

*Que représente l'art dans votre vie ?*

L'art est la plus belle voie d'accès au monde. Il est la plus haute expression de notre humanité. Il est une transcendance qui nous rassemble. Je songe, en disant cela, aux arts plastiques, bien entendu, mais aussi à la musique, qui est une part essentielle de ma vie.

*En quoi la culture permet-elle, à vos yeux, de saisir les mouvements de la société ?*

La culture n'est pas un département hermétique de nos vies, elle n'est pas cette tour d'ivoire qu'on aimerait parfois nous présenter, superbement isolée du reste des fluctuations sociales. Elle irrigue notre histoire, nos échanges, elle est le souffle qui nous anime. La culture, c'est la pensée et l'émotion jointes dans la représentation. Aucune activité humaine ne vaut si elle ne porte en elle ce germe de culture, si elle n'est exhaussée par elle. La culture est le seul horizon valable de notre existence.

Propos recueillis par Éric Fottorino

# VI.
# Macron dans le texte
## par Éric Fottorino

Emmanuel Macron a-t-il un programme ? Dans son souci de ne rien faire comme les autres, le candidat évoque un « *contrat avec la nation* » élaboré par ses soins, à la lumière des réponses et des suggestions recueillies par ses « marcheurs » lancés à travers le pays durant des mois. Avec son équipe, composée notamment de l'économiste Jean Pisani-Ferry, ancien commissaire général à la stratégie et à la prospective, Macron s'est engagé à rendre public non pas un catalogue de mesures, mais ses principaux engagements pour la France. « *La politique, c'est un style. C'est une magie. Il faut définir le cœur de ce qu'on veut porter* », estime le fondateur d'En Marche. Les nombreuses interventions publiques du candidat permettent d'en discerner les lignes de force et les intentions. À commencer par ses discours d'Orléans et de Berlin, le premier sur la figure inspirante de Jeanne d'Arc, le second sur son credo européen centré sur une relation resserrée et privilégiée avec l'Allemagne. « C'est le discours dans lequel il a mis le plus de lui », dit-on dans son proche entourage à propos de sa prise de parole d'Orléans, le 8 mai 2016, à la veille du Brexit. Ce jour-là, Emmanuel Macron a pratiqué ce que Tony Blair en son temps avait inauguré avec succès, avant d'être imité en 2007 par Nicolas Sarkozy : la triangulation. Autrement dit, faire siennes les références de son adversaire pour les détourner à son avantage. En prononçant un vibrant éloge de Jeanne d'Arc, Macron s'est porté sur le terrain longtemps intouché du Front national, de Jean-Marie à Marine Le Pen :

> Jeanne d'Arc, c'est, comme l'écrivait Michelet, une vivante énigme. Nul ne détient la vérité sur elle, sur sa vie, sur sa mémoire. Nul ne peut l'enfermer. Tant l'ont pourtant convoquée ou récupérée.

Ils l'ont trahie en ne la méritant pas. Ils l'ont trahie en la confisquant au profit de la division nationale.

Petite pierre jetée dans le jardin du lepénisme, avant de procéder à l'appropriation :

Elle sait qu'elle n'est pas née pour vivre, mais pour tenter l'impossible. Comme une flèche, sa trajectoire fut nette. Jeanne fend le système.

Remplacez Jeanne par Emmanuel, et vous trouverez deux caractères du « macronisme » naissant : tenter l'impossible et briser le vieux système.

La troisième leçon de Jeanne [dira encore Macron ce jour-là], c'est celle du rassemblement et de l'unité de la France. Elle est née dans une France déchirée, coupée en deux, agitée par une guerre sans fin qui l'oppose au royaume d'Angleterre. Elle a su rassembler la France pour la défendre [...]. Elle a rassemblé des soldats de toutes origines.

Réconcilier, rassembler, pacifier, des notions que le candidat brandit sans relâche pour apposer sa marque.

Quant au discours de Berlin prononcé le 10 janvier 2017 à la Humboldt Universität, il sacralise un lien nécessaire entre la France et l'Allemagne, un couple sans lequel, aux yeux de Macron, il ne saurait exister d'âme véritable au sein de l'Union européenne. Pour un peu, on croirait voir renaître dans ses propos l'idée avancée en 1950 par Robert Schuman : commencer par l'Europe à deux, Paris et à présent Berlin. Ce discours, prononcé en anglais pour que Français et Allemands aient les meilleures chances de (se) comprendre, n'a pas fait l'objet de traduction dans la presse française\*. On peut le regretter, tant Emmanuel Macron s'avance sur le sens et la substance qu'il entend donner au couple franco-allemand, en particulier dans les domaines sensibles que sont les flux migratoires, la sécurité, le

---

\* Les extraits ci-après sont traduits par Maïté Jullian.

renseignement. Sur les migrants, le verbe de Macron est en creux une critique de la politique de Bruxelles, mais aussi de celle de Paris. Ainsi dans ce passage sur la crise migratoire :

> Pour être honnête, la réalité d'une telle crise est très différente en France et en Allemagne, car la réalité de son impact est totalement différente. Je souhaite répéter ici ce que j'ai mentionné il y a quelques jours dans un éditorial publié dans la presse allemande. Je pense que la société allemande fait face à cette crise des réfugiés avec beaucoup de lucidité et de courage. Pourquoi ? Parce que lorsque vous parlez des réfugiés, vous faites appel à nos valeurs communes. Vous parlez de gens qui, ne pouvant rester dans leur pays pour des raisons politiques, le fuient pour se protéger et pour protéger leurs familles. Dans bon nombre de nos débats, il y a une grande confusion entre les réfugiés, les migrants, les terroristes et les musulmans, conduisant à un terrible amalgame. Nous devons être sévères et lucides face au terrorisme, nous devons être fermes face à l'augmentation du communautarisme et

face à ceux qui veulent fragiliser et mettre en péril nos sociétés. Si nous le faisons, c'est en définitive pour protéger nos peuples et nos valeurs ; mais si dans le même temps nous oublions nos valeurs, quel est le but d'un tel combat ? La réaction allemande était une réaction forte et révélatrice de combien nos valeurs sont importantes aujourd'hui.

Impossible de douter du prisme franco-allemand quand on entend ces mots du candidat à Berlin :

De nos jours, mon message pourrait être bien plus démagogique : je pourrais vous dire que l'Europe est dépassée. Il serait plus aisé, particulièrement dans une campagne présidentielle française, de vous dire que l'Allemagne et la France se sont tellement éloignées qu'il est temps de développer de nouvelles alliances ; que je *renverserai la table pour parler durement aux Allemands\**, ce qui est la meilleure façon d'être populaire dans mon pays. Mais c'est une impasse. [...] De la pure bêtise.

---

\* En français dans le texte.

96

Comment ne pas voir que nos défis sont
les mêmes ? Comment ne pas voir que
le terrorisme n'est pas uniquement un
problème français ou allemand ? Que
l'accord de Paris sur le changement
climatique est aussi un problème pour
Berlin ? Que dans un monde mondialisé,
les protections nécessaires ne viendront
pas des politiques nationales mais d'une
fermeté européenne portée par nos deux
pays ? Nos intérêts sont communs. [...]
Je promeus depuis quelques mois une
« révolution » de notre système, un
changement du dispositif politique
et économique hérité de la croissance
d'après-guerre. Je parle d'Europe,
je défends le projet européen, je rends
hommage à ces hommes éclairés qui
eurent la folle idée de réconcilier notre
continent, d'unir ses peuples, pour la
première fois dans l'histoire, sans avoir
recours à la soumission ou à la violence.
Qu'est-ce que l'unicité de l'Union européenne ? C'est que nous avons créé,
pour la première fois dans notre histoire
commune, un corps politique unique
dénué d'hégémonie. Une organisation
équitable et pacifique qui a créé la
paix, la liberté et la croissance pendant

plus de six décennies. Il y a quelques années, être européen était une plate banalité. Aujourd'hui, c'est presque une provocation.

Le projet que je souhaite vous soumettre ce soir, notre projet, mon projet pour la France et l'Europe, est fondé sur deux idées cruciales : plus de souveraineté, mais plus de souveraineté européenne, et l'unification des peuples, ce qui signifie plus de démocratie réelle.

Comme premier pilier d'une Europe souveraine qu'il appelle de ses vœux, Emmanuel Macron cite le défi de sécurité, « *à la fois intérieure et extérieure* ». S'il salue la récente création de l'Agence européenne de gardes-frontières et de gardes-côtes, il ne s'en contente pas.

Mais nous devons aller plus loin, fixer un objectif d'au moins 5 000 personnes mobilisables, augmenter les ressources de cette agence et lui permettre d'intervenir durablement dans un État membre pour protéger nos frontières. Nous avons besoin d'une force de police extérieure, parce que le meilleur moyen de protéger ma population n'est pas d'arrêter tout le monde à ma frontière avec la Belgique, les Pays-Bas ou l'Allemagne. Cela n'a aucun sens, c'est une folie. Mais tous ceux qui arrivent aux frontières de Lampedusa, de Lesbos ou d'Athènes, aux frontières de notre organisation actuelle, sont aussi essentiels. Pour être crédible vis-à-vis de mon peuple, j'ai besoin d'une telle approche, j'ai besoin d'une réponse européenne pragmatique bien plus efficace. Ceux qui prétendent vouloir tuer Schengen souhaitent simplement restaurer une réponse nationale et domestique. Ce n'est pas efficace. Mais lorsque vous dites : « Je veux préserver Schengen » – la réponse la plus sensée selon moi –, cela signifie : « Je veux renforcer Schengen pour assurer ma sécurité et celle de mon peuple. »

Cette fois, pas d'envolée lyrique. Place au concret : développer une politique d'asile commune, conclure des accords de coopération avec les grands pays d'immigration et de transit, fondés sur une aide au développement. Créer aussi un système de renseignement commun « *dépassant les*

99

*réticences nationales, qui permette une traque efficace des criminels et terroristes, voire à terme une police commune pour le crime organisé et le terrorisme.* » On l'a compris, travailler avec l'Allemagne est un *leit-motiv* d'Emmanuel Macron qui reprend à son compte l'invitation jadis formulée par l'ancien Chancelier Willy Brandt : « Maintenant doit grandir ensemble ce qui est fait pour vivre ensemble. »

Ce vivre-ensemble, comment prend-il corps dans la société française vue et voulue par le candidat qui marche ? Ses détracteurs, à droite et à l'extrême droite, se plaisent à souligner que, parmi ses trou-vailles fumeuses, Macron aura inventé le candidat sans programme. On se souvient de la formule à l'emporte-pièce de Marine Le Pen, en novembre 2016, raillant le « candidat plexiglas ». Penser que les Français se détermineraient sur un pro-gramme lors de l'élection présidentielle est sans doute excessif, ce qui n'enlève rien à la nécessité pour un candidat d'en produire un. Une présidentielle relève de l'incarnation, du mouvement, de la capacité à incarner. Les idées comptent. Celui qui les porte compte plus encore. L'alchimie vient des deux, un fond qui trouve sa forme.

Selon un calendrier qu'il est le seul à maîtriser, l'ancien ministre de l'Économie n'a cessé de distiller ses annonces, telle sur le travail, telle sur la fiscalité, l'éducation ou la santé. Comme dit un proverbe africain, « on voit les taches de la girafe, mais on ne voit pas encore l'animal entier ». À y regarder de plus près, on ne peut dire pourtant que le programme n'existe pas. La philosophie est connue, Macron a eu de nombreuses occasions de l'expliciter. Son cap, c'est une société qui défait les statuts et les rentes pour donner force à l'initiative individuelle, au risque calculé, à la mobilité si elle ne devient pas précarité. C'est dans cet esprit qu'il faut comprendre son intention d'étendre le droit au chômage pour les indépendants après cinq ans d'activité, mais aussi pour les salariés démissionnaires – une fois tous les cinq ans –, afin de favoriser la mobilité professionnelle et de « *doper l'esprit d'entreprendre* ».

Dans la réalité, cette vision moins rigide du monde du travail se traduit par des mesures plusieurs fois annoncées et détaillées, sur la base d'un constat ainsi formulé par Macron : « *Dire pour toute la France, pour tout le monde, pour tous les âges, on va travailler 35 heures par semaine, c'est sans doute un peu réducteur.* » D'où deux types de mesures : d'abord assouplir les 35 heures, c'est-à-dire conserver la durée légale du travail à 35 heures, tout en renvoyant « *à l'accord de branche, l'accord d'entreprise, la possibilité de négocier d'autres équilibres* ». Moduler ensuite le temps de travail au cours de la vie, en travaillant de moins en moins avec l'âge. Concrètement, il serait possible de proposer aux jeunes de travailler plus de 35 heures par semaine, et aux seniors après 50 ou 55 ans de réduire à 30-32 heures par semaine leur activité. En regard, il s'agirait de proposer une retraite à la carte entre 60 et 67 ans. Et de moduler l'âge de départ à la retraite selon les métiers.

Une autre direction concerne l'encouragement au travail. « *Aujourd'hui*, dit Macron, *quand vous rentrez dans le travail avec un SMIC à temps partiel ou un SMIC et que vous étiez au RSA, vous ne touchez pas la prime d'activité. Vous n'êtes pas incité forcément à travailler, car le gain marginal est trop réduit.* » Sa proposition en découle : augmenter de 50 % la prime d'activité afin d'encourager le retour vers le marché du travail. Tout un chacun a pu entendre aussi sa volonté d'augmenter le pouvoir d'achat des salariés par la suppression totale des cotisations chômage et maladie, grâce à une augmentation de 1,7 point de la CSG – environ 15 €/mois supplémentaires. Un effort dont seraient exonérés les chômeurs et les retraités les plus modestes. Macron vise ainsi la feuille de paye : cette mesure se traduirait, selon lui, par un gain net d'au moins 500 €/an pour un couple au SMIC. Parmi les autres mesures phares envisagées, citons encore la nationalisation de l'assurance-chômage avec une reprise en main de l'Unedic par l'État, et l'instauration d'un bonus-malus sur les patrons abusant des contrats courts au détriment des CDI.

On ne se risquera pas ici à esquisser le détail de mesures envisagées par le candidat. La matière est encore mouvante. Rien n'est gravé dans le marbre. Des engagements ont bien sûr retenu l'attention, qui concernent la vie des gens au quotidien. On garde à l'oreille cette petite musique : la prise en charge à 100 %, d'ici 2022, des lunettes, des prothèses dentaires et auditives. Le doublement des maisons de santé dans le même horizon, pour lutter contre les déserts médicaux. La vente des médicaments à l'unité pour en finir avec le gaspillage. Une réforme annoncée de l'hôpital en décloisonnant les relations entre le public et le privé ; en réformant les tarifications. Sur le terrain de l'éducation, impérieuse nécessité, tous les efforts doivent être consentis pour combler le retard français. Macron cible la petite enfance, le CP et le CE1, ces zones fragiles de l'apprentissage pour lesquelles il s'engage à diviser par deux le nombre des

élèves par classe, en créant 12 000 postes
d'instituteurs. Tout en payant mieux les
professeurs, en particulier ceux qui exercent
dans les quartiers difficiles. « *Le passage des
enseignants en éducation prioritaire doit être
comme "avoir fait campagne" dans l'armée.
C'est le cœur de la bataille de la République.* »
D'où cette ambition : inciter davantage
de professeurs expérimentés à enseigner
dans les écoles de l'éducation prioritaire,
en les payant mieux et en leur offrant une
plus grande liberté pédagogique. Tout en
assumant l'autonomie des établissements
scolaires.

Quand Emmanuel Macron parle
argent, donc fiscalité, son discours est
ciblé. En adversaire déclaré de tout système de rente, il entend transformer l'impôt de solidarité sur la fortune (ISF) en
impôt sur la rente immobilière. La part
qui finance l'économie réelle, à savoir la
détention d'entreprises ou d'actions, ne
serait en revanche plus imposée. Pour ne
pas décourager les particuliers à entreprendre sans tomber dans une tracasserie

administrative débilitante, il veut supprimer purement et simplement le RSI (Régime social des indépendants). Deux mesures encore pourraient aller dans le sens d'une relance de l'activité : transformer le Crédit d'impôt compétitivité emploi (CICE) en une baisse de charges durable pour tous les types d'entreprises. Accorder dix points de charges patronales en moins pour tous les emplois au SMIC.

On ne sera pas surpris de trouver en bonne place une ambition culturelle chez le candidat Macron. « *100 % des enfants doivent avoir accès à l'éducation artistique* », estime celui qui veut mettre en place un « *pass culturel* » de cinq cents euros versés à tous les jeunes le jour de leurs 18 ans, à dépenser dans l'achat de livres ou pour des événements culturels. Faire financer cet investissement par les industries numériques (ou GAFA – Google, Apple, Facebook et Amazon), et, à la marge, par l'État. Faciliter l'accès à la culture en laissant les bibliothèques ouvertes le soir et le week-end. Voilà des idées, faute de programme abouti ! Toujours cette volonté d'ouvrir, de rendre accessibles les horizons culturels comme les bus « Macron » rendent proches des destinations parfois lointaines.

S'il n'a pas l'expérience directe d'une politique sécuritaire, Emmanuel Macron a conscience des défaillances du système actuel. « *Je créerai 10 000 postes de fonctionnaires de police et de gendarmerie sur les trois premières années du quinquennat* », a-t-il affirmé. Parmi ses idées force, on peut relever la mise en place d'une nouvelle police de proximité, « *non pas pour jouer au foot avec les jeunes, mais pour assurer la sécurité au quotidien* ». Reconstituer notre renseignement territorial dans les quartiers les plus sensibles. Assurer la formation volontaire de 30 000 à 50 000 jeunes femmes et hommes pour la réserve opérationnelle. Créer une cellule centrale de traitement des données de masse issues du renseignement. La direction est donnée.

S'agissant enfin de l'environnement et de l'écologie, on a bien sûr retenu cet engagement du candidat pour accroître la part des produits bio servis dans les cantines scolaires mais aussi dans les restaurants d'hôpitaux et d'entreprise. À l'horizon 2022, la moitié des plats servis seraient issus de l'agriculture biologique. Mais c'est sur la politique énergétique que Macron a donné des assurances plus structurantes : la fermeture pendant son mandat, s'il est élu, des centrales à charbon encore en activité sur le territoire. Le refus de toute exploitation des gaz de schiste (même s'il est favorable à la poursuite de la recherche scientifique dans ce domaine). La poursuite de la transition énergétique visant à réduire de 75 % à 50 % la part du nucléaire dans notre production d'électricité.

Tous ces engagements, à supposer qu'ils soient chiffrés, validés et tenus, font-ils un programme ou un « contrat » avec la nation ? À l'évidence non. Mais à tort ou à raison, les Français sont nombreux à vouloir faire confiance à ce nouveau venu dans la course à l'Élysée pour leur apporter la part de rêve qu'ils ne trouvent plus

chez les caciques de la politique. À condition qu'une fois dans la réalité, le rêve ne
se désagrège pas une nouvelle fois. « Les
mots sont eux-mêmes des événements
parce qu'ils créent des événements »,
estimait le philosophe Tzvetan Todorov
récemment disparu. Les mots sont là, ras-
semblés. Reste pour Emmanuel Macron à
créer l'événement.

# VII.

## Trois regards croisés

# Un ludion ?
# Non, un hybride*

## Marc Lambron, écrivain

Il crève les yeux, en ce prologue
plombé aux grandes échéances électorales qui vont courir de l'automne 2016
au printemps 2017, que le malaise dans la
civilisation française atteint des sommets.
Les corps sont encombrés, les radars
déréglés. Un jour à Venise vous guérit
d'une semaine à Paris. L'ex-président
Sarkozy, candidat pour la troisième fois
à une élection présidentielle, égrène tel

---

\* *Le 1* du 13 septembre 2016, n° 121 : « Que pense
vraiment Macron ».

un *sâdhu* désossé ses mantras sécuritaires. Le président Hollande, à force d'être obligeant avec chacun et aimé de peu de monde, joue au Lego socialiste dans un palais où l'on s'amuse moins qu'au temps de la Pompadour. Mme Le Pen s'ébroue, les mahométans s'agitent. J'emploie ici à dessein le mot « mahométan », il aurait pu venir sous la plume de Molière ou de Voltaire. Un membre du Front national connaît-il la succession des Valois, les motets de Guillaume de Machaut ou la *Délie* de Maurice Scève, bref, ce qui fait l'identité française ? Pas sûr. C'est pourtant là qu'il faut creuser, du côté des turqueries de Molière et des sultans de Voltaire, et donc du côté de la littérature – notre oxygène et notre archipel.

À vrai dire, et toutes choses égales par ailleurs, on n'avait guère vu cela depuis l'époque de Pompidou et Malraux, et l'on peut ajouter Mitterrand : des esprits littéraires, du moins si l'on en croit leurs titres, tournent autour d'une envie de magistrature suprême. Le normalien Juppé, irradié au Montaigne, se souvient qu'il fut agrégé de lettres classiques. Le normalien Le Maire, diariste des années Villepin, se verrait bien en professeur de civilisation. Et voici que s'ébroue le Macron, prénom Emmanuel, ce qui en hébreu signifie « Dieu est avec nous ». C'est le Puck d'une comédie shakespearienne jouée sur BFM TV, l'elfe lettré capable de citer des passages de Molière sous la caméra de l'histrion télévisuel Cyrille Eldin, ce qui est une chose, mais aussi de lire à la veillée des essais d'herméneutique en même temps que les derniers chiffres de l'institut Ipsos, la seule boutique de sondages qui pourrait évoquer, par sa consonance, une divinité gréco-latine.

Le Macron est-il *bancable*, comme on dit dans les officines financières où il ne travaille plus ? En tout cas, il peut abattre sur le tapis vert bien des atouts : la jeunesse, l'allant, la virginité électorale, l'ambition aux yeux de biche. Voyez comme il sème la panique parmi les chéloniens de la rue de Solférino, en grande peur que le Macron ne leur pique leur feuille de salade. Eh bien, ils ont raison, car le décryptage du génome Macron donne quelques résultats dignes d'affoler les boussoles. Un ludion ? Non, un hybride. Voyez plutôt. Depuis un siècle, le pouvoir a été successivement détenu en France par quatre groupes, avec chacun son *Ideal-Typus*, son profil, ses étoiles. Jusqu'en 1940 triomphe la République des professeurs, chère à Albert Thibaudet, lignée de radicaux-socialistes aimant les belles périodes et les plats choucroutés. Après 1945 et au long des Trente Glorieuses, ce sont les hauts fonctionnaires planistes qui ont façonné et tenu la France. À partir des années 1980 et du règne de Wall Street, le financier devient la figure désirable et mondialisée du nouveau pouvoir. Enfin, depuis une dizaine d'années, on sent bien que les fortunes et les attitudes prescriptrices deviennent celles des créateurs de la *web economy*.

La singularité de Macron, si jeune soit-il, est de cristalliser dans sa biographie les quatre identités fondatrices. Il a travaillé sous l'égide de Paul Ricœur, obtenant ainsi son titre de créance philosophique : voilà pour la République des professeurs. Il est ensuite passé par l'ENA, pépinière depuis 1945 des jeunes *Kaiser* de l'État administré. Est alors survenu son épisode bancaire, un passage chez Rothschild en compagnie des sorciers des fusions-acquisitions. Voici enfin que, comme un garçon de son âge, il est devenu l'homme-sandwich de la « nouvelle économie ». Il est rare de rencontrer dans un même corps des poumons de philosophe, des cordes vocales d'énarque, des jambes de courtier et un cœur de *webmaster*. L'alliance d'Alain et de François Bloch-Lainé, de Michel Cicurel et de Marc Simoncini ? Il faut voir.

Quant à madame, née Trogneux, les gazettes feraient mieux de ne pas se focaliser sur son âge, mais plutôt de s'intéresser à son passé. Voilà une femme qui était professeur de lettres : elle a donc appris à considérer la vie pour ses aménités plutôt que pour ses vénalités. En d'autres termes, elle ne souhaite pas, à la différence de nombre de ses contemporaines, être salariée par une multinationale de cosmétiques à forte plus-value dans les pays émergents. Elle a plutôt lu Beaumarchais et Rimbaud. Règle de vie : toujours préférer une littéraire sexy à une experte en marketing. Ce devrait être, au fronton glorieux et féminin des écoles qui seront construites pendant la présidence Macron, l'un des slogans de la nouvelle ère. L'un des slogans de la nouvelle Ève.

# Un coucou ne fait pas plus le printemps qu'une hirondelle*

Natacha Polony, journaliste et essayiste

Certes, ils sont nombreux, ceux qui souhaiteraient, ceux qui rêveraient… Ah, s'il se passait enfin quelque chose. Si l'on pouvait voir bouger les lignes, se déployer des énergies nouvelles pour bousculer un système institutionnel exsangue. Et voilà que surgit celui par qui le renouveau pourrait arriver. Parce qu'il tient un discours en contradiction totale avec celui de son camp, on loue son audace. Parce qu'il promet de pourfendre les

_____

* *Le 1* du 13 septembre 2016, n° 121 : « Que pense vraiment Macron ».

119

immobilismes, on se dit qu'il va changer les choses. Emmanuel Macron répond à une attente essentielle du peuple français : en finir avec une alternance sans alternative qui voit les mêmes se succéder au magistère de l'impuissance, un coup à droite, un coup à gauche. Mais secouer les vieux partis suffira-t-il à répondre aux défis du temps ?

On en doute d'autant plus qu'une fois le vernis de « bougisme » égratigné, qu'est-ce que le « macronisme » ? Un éloge de cette fiction qu'est l'individu libéral, détaché de toutes les anciennes solidarités, et rêvant de devenir millionnaire dans un monde simplement régi par le droit et le marché. L'exemple servi par le brillant ministre pour séduire des jeunes de banlieue en dit plus long que tous les discours politiques : « Moi, je cours moins vite le cent mètres qu'Usain Bolt, mais ce n'est pas parce qu'on va ralentir Usain Bolt que je serai plus heureux ! » Bel éloge de la responsabilité individuelle, mais qui oublie le pendant nécessaire : comme il y a des règles antidopage en sport, on peut souhaiter une limitation de l'optimisation fiscale et du *dumping* social sans que cela ne bride les belles énergies. Métaphore, surtout, qui réduit l'existence humaine au déploiement d'une performance individuelle.

Dans le monde d'Emmanuel Macron, la République sert à « organiser une communauté humaine, sociale et politique dans laquelle on peut exercer sa spiritualité dans l'autonomie » tandis que « les religions proposent du sens ». Des quelques bribes de réflexions qu'il a jusqu'ici livrées sur des sujets qui, au mieux lui semblent secondaires, au pire lui paraissent trop glissants pour y risquer sa popularité, on comprend qu'il fait sienne la vision libérale progressiste d'une démocratie qui aurait pour objet le développement indéfini des droits individuels et l'épanouissement du moi par la participation à l'émulation consumériste. Culte tristement classique d'un progrès jamais véritablement défini, ou réduit à sa part la plus pauvre, le progrès technique et le bien-être qu'il engendre. Quitte à accepter l'emprise croissante des multinationales du numérique. On est très loin de la réflexion de George Orwell : « Quand on me présente quelque chose comme un progrès, je me demande avant tout s'il nous rend plus humains ou moins humains. »

La démarche idéologique d'Emmanuel Macron a cependant une vertu. Celle de clarifier les débats en mettant en lumière l'artifice des clivages actuels. Le nid politique dans lequel il s'installe, tel le coucou, était certes largement occupé, mais en ordre dispersé. Les adeptes de la « révolution macronienne » (révolution au sens étymologique puisqu'il s'agit de revenir au même point) se recrutent aussi bien à droite qu'à gauche (même si à gauche, on l'assume moins volontiers), chez ces progressistes autoproclamés qui pensent que si leur système a échoué depuis trente ans, c'est parce qu'on n'est pas allé assez loin dans l'alignement sur les critères de l'économie globalisée. Ceux qui conviennent doctement (et après quelques désastres référendaires) qu'il faut refonder l'Europe en s'appuyant sur les peuples, mais qui proposent de le faire avec les mêmes hommes acquis aux mêmes dogmes du capitalisme financiarisé. Ceux qui pensent, comme Margaret Thatcher et comme lui, qu'il n'y a pas d'alternative.

# Société de mobilité contre société de places : le dilemme d'Emmanuel Macron[*]

Vincent Martigny, politiste

Le débat sur le fait de savoir si Emmanuel Macron est de droite ou de gauche est l'illustration que le commentaire politique manque de vocabulaire. Non que les cultures politiques ne revêtent pas d'importance – elles jouent indéniablement un rôle décisif au moment du vote. Mais cette catégorisation échoue à traduire un clivage profond, dans lequel l'ex-ministre de

---

[*] *Le 1* du 13 septembre 2016, n° 121 : « Que pense vraiment Macron ».

l'Économie occupe une position marquée, et qui plonge au cœur de l'imaginaire français : celui qui oppose la société de mobilité à la société de places. Depuis son arrivée à Bercy en août 2014, le probable futur candidat à l'élection présidentielle se pose en défenseur de la mobilité et du mouvement. Il a multiplié depuis deux ans les éloges de la réussite et de l'entrepreneuriat, les critiques des 35 heures, du statut des fonctionnaires et de la gauche qui « préfère défendre les statuts, qui explique que défendre la justice dans notre pays, c'est conserver les choses telles qu'elles sont et telles qu'elles ont été ». Ces déclarations forment une vision sociale cohérente qui structure En Marche : celle d'une société où des individus libérés de positions sociales figées évoluent dans des structures souples, dynamiques, affranchies de réglementations trop lourdes qui plombent leur énergie, et occupent des places temporaires en fonction de leur motivation pour entreprendre et construire des projets. Dans cette perspective symbolisée par l'allégorie de la *start up*, plus d'*insiders* ni d'*outsiders*, mais des

travailleurs électrons libres qui collaborent
entre eux ou entrent en compétition, pré-
sentée comme une saine émulation par le
travail. Cette société d'(auto)entrepreneurs,
fruit de places mobiles, refusant les statuts
et les rentes, est le produit d'un imaginaire
qu'on ne saurait réduire à l'expression du
libéralisme de marché. Elle a des accents de
la « nouvelle société » de Jacques Chaban-
Delmas, remémore les appels de Jack Lang
à « libérer les énergies » dans les années
quatre-vingt et rappelle Ségolène Royal,
qui avec Désirs d'avenir, en 2007, présen-
tait, comme Emmanuel Macron, la société
française comme percluse de conservatismes et voyait dans l'« agilité » sociale et
entrepreneuriale une issue vers la fin des
conservatismes.

Le rêve d'Emmanuel Macron est-il un
« rêve français » ? Il séduit en tout cas incon-
testablement une partie de la jeunesse – et
au-delà, tous ceux qui considèrent que la
société actuelle, protégeant excessivement
certains de ses membres, en laisse trop
d'autres sur le bas-côté. Mais il s'oppose
à un autre imaginaire national : celui de la

société de places. Celle des contrats à durée indéterminée, des droits sociaux rattachés à des positions fixes et pérennes, des RTT et des comités d'entreprise, de la sécurité d'un emploi protégé par un statut. Celle des organisations collectives de défense des travailleurs, des luttes sociales, produit d'une histoire de France qui remonte au moins à la révolution de 1848. Cette France-là a ses récits, ses héros et ses rêves : une société où l'harmonie collective dépend de la possibilité pour chacun de disposer d'un emploi stable, digne, rattaché à des droits, qui lui permette de construire, dans son temps libre, une vie équilibrée. Elle est aussi, et c'est là où le bât blesse, la France qui a porté la gauche au pouvoir en 1981, en 1997 et en 2012.

Emmanuel Macron ne manque jamais de souligner les limites de cette société. Son combat contre les rentes et les privilèges est également une lutte contre les places acquises, fixes, inamovibles. Ses rapports tumultueux avec la CGT sont le reflet de cet agacement pour une organisation qu'il perçoit comme le symbole de l'immobilisme français. Il met en exergue le décalage entre une société obnubilée par l'imaginaire des Trente Glorieuses, celui du plein emploi et de la croissance à plus de 3 %, et la réalité sociale dans laquelle trop de Français se contentent de « faire des heures » et cumulent les contrats précaires. Il pourfend le partage du travail défendu par les seuls titulaires de contrats stables, les autres étant exclus du système de négociation des partenaires sociaux. Moyennant quoi, il passe sous silence les impasses de la société de mobilité qu'il défend, et notamment la permanence des classes sociales. Dans la société française, tous les citoyens ne sont pas en mesure – ou en désir – de se mettre « en marche », et il est plus facile de le faire pour un jeune énarque devenu banquier que pour les ouvrières de Gad. Héraut d'une mondialisation heureuse, Emmanuel Macron doit encore prouver que la société de mobilité qu'il promeut ne va pas se contenter de servir les mêmes intérêts qui, société de places ou pas, tiennent déjà le haut du pavé : n'est pas Mark Zuckerberg qui veut. La société de mobilité défendue par Macron témoigne en fait d'une autre fracture, longtemps dissimulée mais aujourd'hui pleinement révélée : le clivage générationnel. Les jeunes reprochent aux anciens de s'accrocher égoïstement à des places sans penser à leur succession, pendant que les aînés observent avec inquiétude l'individualisme de leurs cadets. Quand il déclare que l'économie actuelle est façonnée pour les statuts et les protections, alors que « la vraie injustice, ce sont les 10 % de chômeurs, la vraie injustice, ce sont les jeunes […] ou celles et ceux qui sont condamnés à tourner autour du système et qui sont au fond les *outsiders*, les perdants », Emmanuel Macron a probablement raison. Mais il oublie que beaucoup de Français sont attachés aux places et que leur représentation du monde est très largement structurée par les droits rattachés à ces dernières. En s'opposant à eux, il prend le risque de se confronter bientôt à l'une des dures lois de la politique : dans une société où persiste un « cens caché » (Daniel Gaxie [Seuil, 1993]), ce ne sont pas les *outsiders* qui votent.

# Table des matières

# Chez le même éditeur
# (extrait)

131

Laurent Bibard, *Terrorisme et féminisme*

Régis Bigot, *Fins de mois difficiles pour les classes moyennes*

Jean Blaise, Jean Viard, avec Stéphane Paoli, *Remettre le poireau à l'endroit*

Guy Burgel, *Questions urbaines*

Laurent Chamontin, *L'empire sans limites. Pouvoir et société dans le monde russe*

Bernard Chevassus-au-Louis, *La biodiversité, c'est maintenant*

Pierre Clastres, *Archéologie de la violence. La guerre dans les sociétés primitives*

Daniel Cohn-Bendit, avec Jean Viard et Stéphane Paoli, *Forget 68*

Pierre Conesa, *Guide du paradis. Publicité comparée des Au-delà*

Boris Cyrulnik, *La petite sirène de Copenhague*

Boris Cyrulnik, Edgar Morin, *Dialogue sur la nature humaine* (existe en version illustrée par Pascal Lemaître)

Caroline Dayer, *Sous les pavés, le genre*

Caroline Dayer, *Le pouvoir de l'injure*

Antoine Delestre, Clara Lévy, *L'esprit du totalitarisme*

Christine Delory-Momberger, François Durpaire, Béatrice Mabilon-Bonfils (dir.), *Lettre ouverte contre l'instrumentalisation politique de la laïcité*

François Desnoyers, Élise Moreau, *Tout beau, tout bio ?*

François Dessy, *Roland Dumas, le virtuose diplomate*

François Dessy, *Jacques Vergès, l'ultime plaidoyer*

Toumi Djaïdja, avec Adil Jazouli, *La Marche pour l'Égalité*

Stéphane Hessel, évocations avec Pascal Lemaître, *Dessine-moi un Homme*

Stéphane Hessel, avec Gilles Vanderpooten, *Engagez-vous!*

Stéphane Hessel, avec Edgar Morin et Nicolas Truong, *Ma philosophie*

François Hollande, Edgar Morin, avec Nicolas Truong, *Dialogue sur la politique, la gauche et la crise*

François Jost, *Pour une éthique des médias*

François Jost, Denis Muzet, *Le téléprésident. Essai sur un pouvoir médiatique*

Jean-François Kahn, avec Françoise Siri, *Réflexion sur mon échec*

Marietta Karamanli, *La Grèce, victime ou responsable?*

Dina Khapaeva, *Portrait critique de la Russie*

Denis Lafay (dir.), *Une époque formidable*

Hervé Le Bras, *Le sol et le sang*

Soazig Le Nevé, Bernard Toulemonde, *Et si on tuait le mammouth?*

Franck Lirzin, *Marseille. Itinéraire d'une rebelle*

Béatrice Mabilon-Bonfils, Geneviève Zoïa, *La laïcité au risque de l'Autre*

Noël Mamère, avec Stéphanie Bonnefille, *Les mots verts*

Virginie Martin, *Ce monde qui nous échappe*

Virginie Martin, Marie-Cécile Naves, *Talents gâchés. Le coût social et économique des discriminations liées à l'origine*

Gregor Mathias, *Les guerres africaines de François Hollande*

Dominique Méda, *Travail: la révolution nécessaire*

Éric Meyer, *Cent drôles d'oiseaux de la forêt chinoise*

Éric Meyer, Laurent Zylberman, *Tibet, dernier cri*

Olivier Roy, avec Nicolas Truong, *La peur de l'islam*

Marlène Schiappa, *Où sont les violeurs ?*

Céline Schoen, *Parents de djihadiste*

Youssef Seddik, *Le grand malentendu. L'Occident face au Coran*

Youssef Seddik, *Nous n'avons jamais lu le Coran*

Youssef Seddik, avec Gilles Vanderpooten, *Tunisie. La révolution inachevée*

Ioulia Shukan, *Génération Maïdan. Vivre la crise ukrainienne*

Mariette Sineau, *La force du nombre*

Philippe Starck, avec Gilles Vanderpooten, *Impression d'Ailleurs*

Benjamin Stora, avec Thierry Leclère, *La guerre des mémoires. La France face à son passé colonial*, suivi de *Algérie 1954*

Philippe Subra, *Zones À Défendre*

Didier Tabuteau, *Dis, c'était quoi la Sécu ?*

Pierre-Henri Tavoillot, *Faire ou ne pas faire son âge*

Nicolas Truong (dir.), *Résistances intellectuelles*

Nicolas Truong (dir.), *Penser le 11 janvier*

Nicolas Truong (dir.), *Résister à la terreur*

Nicolas Truong (dir.), *Le crépuscule des intellectuels français*

Gilles Vanderpooten, Christiane Hessel (dir.), *Stéphane Hessel, irrésistible optimiste*

Christian Vélot, *OGM : un choix de société*

Pierre Veltz, *Paris, France, monde*

Jean Viard, avec José Lenzini, *Quand la Méditerranée nous submerge*

Jean Viard, *Le moment est venu de penser à l'avenir*

Jean Viard, *Le triomphe d'une utopie*

Jean Viard, *Toulon, ville discrète*

Achevé d'imprimer en février 2017
sur les presses de l'imprimerie CPI Bussière
pour le compte des éditions de l'Aube
331, rue Amédée Giniès, F-84240 La Tour d'Aigues

Numéro d'édition : 2485
Dépôt légal : mars 2017
N° d'impression : 2028373

*Imprimé en France*

 IMPRIM'VERT®